Caillou

La petite sœur

Texte : Joceline Sanschagrin
Illustrations : Pierre Brignaud • Coloration : Marcel Depratto

chouette

Caillou regarde le gros ventre rond de sa
maman. Caillou est content. Dans le gros
ventre, il y a sa petite sœur. Caillou l'attend
depuis longtemps.

Le papa et la maman de Caillou partent
pour l'hôpital. La petite sœur arrive.
Grand-maman prend soin de Caillou.
Mais Caillou se sent seul.

La maman de Caillou revient. Caillou est très surpris. Sa sœur n'est pas capable de marcher. Elle ne peut pas manger toute seule. La sœur de Caillou ne sait pas parler. C'est un bébé.

Le papa de Caillou berce Mousseline, la
petite sœur. Grand-papa et grand-maman,
tante Caroline, tout le monde dit que le
bébé est mignon. Tout le monde oublie
Caillou. Caillou boude.

Maman demande à Caillou s'il veut bercer
Mousseline. Caillou ne veut pas. Caillou
préfère jouer avec ses cubes.

Caillou veut être petit, comme Mousseline.
Caillou fait pipi dans son lit. Caillou
demande à sa maman de le bercer.
Caillou veut boire au biberon.

Caillou embrasse Mousseline. Puis Caillou
la mord. La sœur de Caillou se met
à pleurer. Caillou est malheureux.
Caillou a peur de se faire gronder.

Papa console le bébé. Maman dit à
Caillou :

–Tu trouves ta sœur tellement douce que
tu as envie de la manger. Mais si tu la
mangeais, tu ne l'aurais plus pour l'aimer.
On croque dans les pommes, mais pas
dans les bébés.

Caillou trouve sa poupée. C'est un bébé,
comme Mousseline. Caillou lance sa
poupée dans les airs. Elle tombe par terre.
Caillou lance sa poupée sur le mur.
Caillou crie :
– Badaboum !

Maman dit à Caillou :

—Tu es grand et fort. Tu peux lancer ta poupée très loin. Ta sœur, elle, n'est qu'un bébé. Elle ne sait encore rien faire. Alors on en prend soin.

La sœur de Caillou pleure. Elle a perdu
son biberon. Elle n'arrive pas à le
retrouver. Caillou prend le biberon et le
donne à Mousseline. Elle arrête de pleurer.
Caillou berce sa petite sœur. Mousseline
est très drôle. Elle bouge tout le temps.
Elle est toute petite et elle sent bon.
Caillou est content d'être grand.

Texte : Joceline Sanschagrin
Illustrations : Pierre Brignaud
Coloration : Marcel Depratto
Direction artistique : Monique Dupras

Nous reconnaissons l'aide financière du gouvernement du Canada par l'entremise du Fonds du livre du Canada pour nos activités d'édition.

Nous remercions le ministère de la Culture et des Communications du Québec et la SODEC de l'aide apportée à la publication et à la promotion de cet ouvrage.

Patrimoine canadien   Canadian Heritage

SODEC Québec

Catalogage avant publication de Bibliothèque et Archives nationales du Québec et Bibliothèque et Archives Canada

Sanschagrin, Joceline, 1950-
Caillou : la petite sœur
(Pas à pas)
Publ. à l'origine dans la coll. : Collection Rose des vents. 1993
Pour enfants de 2 ans et plus.

ISBN 978-2-89450-640-0

1. Frères et sœurs - Ouvrages pour la jeunesse. I. Brignaud, Pierre. II. Titre.
III. Collection : Pas à pas (Éditions Chouette).

BF723.S43S262 2007   j306.875'3   C2007-940492-8

Imprimé en Chine
10 9 8 7 6 5 4 3   CHO1765 DEC2010